KB166758

인간은 왜 동물과 다른가요?

브리지뜨 라베는 작가입니다. **피에르 프랑수아 뒤퐁 뵈리에**는 소르본 대학에서 철학을 가르치고 있어요. **자크 아잠**은 일러스트레이터로 〈철학 맛보기〉 시리즈의 모든 그림을 그렸으며, 만화도 그리고 있습니다. 이 책을 우리말로 옮긴 **전혜영** 선생님은 이화여자대학교 불어불문학과를 졸업하고, 프랑스 2 대학 렌느에서 불문학 석사와 박사 과정을 수료했으며, 도서 전문 번역가로 활동 중입니다.

철학 맛보기 26 인간은 왜 동물과 다른가요? — 인간과 동물

지은이 · 브리지뜨 라베, 피에르 프랑수아 뒤퐁 뵈리에 | **그린이** · 자크 아잠 | **옮긴이** · 전혜영
첫 번째 찍은 날 · 2014년 1월 15일
편집 · 김수현, 문용우 | **디자인** · 박미정 | **마케팅** · 임호 | **제작** · 이명혜
펴낸이 · 김수기 | **펴낸곳** · 도서출판 소금창고 | **등록번호** · 2013-000302호
주소 · 서울시 마포구 포은로 56, 2층(합정동) | **전화** · 02-393-1174 | **팩스** · 02-393-1128
전자우편 · hyunsilbook@daum.net
ISBN · 978-89-89486-86-2 64860
ISBN · 978-89-89486-80-0 64860(세트)

L'HOMME ET L'ANIMAL
Written by B. Labbé, P.-F. Dupont-Beurier and J. Azam
Illustrated by Jacques Azam
Copyright ⓒ 2007 Éditions Milan – 300, rue Léon Joulin, 31101 Toulouse Cedex 9 France
www.editionsmilan.com
Korean translation copyright © Sogumchango, 2014
This Korean edition was published by arrangement with Éditions Milan through Sibylle Books Literary Agency, Seoul

이 책의 한국어판 저작권은 시빌에이전시를 통해 프랑스 Milan사와 독점 계약한 소금창고에 있습니다.
저작권법에 의해 한국 내에서 보호를 받는 저작물이므로 무단 전재 및 무단 복제를 금합니다.

철학 맛보기 ㉖ 인간과 동물

| 브리지뜨 라베 · 뒤퐁 뵈리에 지음 | 자크 아잠 그림 | 전혜영 옮김 |

인간은 왜 동물과 다른가요?

철학 맛보기의 메뉴

내 혀를 고양이에게 줬어요!

아침에 고양이 세수를 하고 밖으로 나갔어요. 갑자기 호랑이가 장가를 가는 바람에 물에 빠진 생쥐가 되었죠. 집에 돌아와서 보니 동생이 식혜 먹은 고양이처럼 나를 봐요. 알고 보니 고양이한테 생선을 맡겼던 게 문제였어요. 동생과 나는 가끔씩 고양이와 개 사이 같아요. 충고를 해도 소 귀에 경 읽기예요. 어떻게 해야 할지 몰라서 내 혀를 고양이에게 줬어요. 고양이 달걀 굴리듯 해결할 수 있으면 좋겠어요.

위의 말을 해석하면 다음과 같아요.

고양이 세수하다 = 콧등에 물만 묻히는 정도로 세수를 한다.

호랑이가 장가 가다 = 하늘은 맑은데

비가 온다.

식혜 먹은 고양이 = 죄를 짓고 그것을 들킬까 걱정하는 모양.

고양이에게 생선을 맡기다 = 손해를 입을 것이 뻔한 데 일을 맡기다.

고양이와 개 = 서로 사이가 좋지 않은 관계.

소 귀에 경 읽기 = 아무리 말해도 알아 듣지 못하다.

내 혀를 고양이에게 주다 = 해결책을 찾는 것을 포기하다.

고양이 달걀 굴리듯 = 일을 재치 있게 잘하다.

사람들이 쓰는 표현을 잘 살펴보면, 동물이 자주 등장하는 것을 알 수 있어요.

우리가 흔히 듣는 말 중에 이런 표현들이 있어요. 학교에서 아주 무서운 선생님을 호랑이 선생님이라고 해요. 눈치가 느리거나 행동이 둔한 사람을 곰 같다고 하고, 앞니가 큰 사람을 토끼 같다고 하지요. 여우처럼 교활한 사람, 노새처럼 고집이 센 사람, 원숭이처럼 민첩한 사람, 참새처럼 수다스러운 사람도 있고요. 어린 양처럼 순한 사람, 붕어처럼 말이 없는 사람, 두더지처럼 앞이 안 보이는 사람, 공작처럼 자신을 뽐내는 사람, 돼지처럼 뚱뚱한 사람, 물개처럼 수영을 잘하는 사람도 있어요. 미꾸라지처럼 이리저리 잘 빠져 나가는 사람, 박쥐처럼 얄미운 사람, 능구렁이처럼 능청스러운 사람이라는 말도 쓰지요.

동물마다 고유한 특징이 있어요. 그래서 인간의 성격을 말할 때 동물을 자주 언급해요. 그 사람이 어떤지, 어떤 느낌을 주는지 동물에 빗대어 묘사하는 거지요.

너에겐 뭐든지 다 말하지!

학교에서 돌아온 라피카는 울면서 곧장 방으로 뛰어 들어가 문을 잠갔어요. 잠시 후에 엄마가 조심스럽게 방문을 두드렸어요. 하지만 라피카는 문을 열지 않았어요. 이번에는 아빠가 나서서 말을 걸었지만 라피카는 대꾸도 하지 않았습니다. 오빠도 동생의 방에 들어가려고 했지만 어림도 없었어요.

그때 오비가 앞발로 문을 긁어 댔어요. 뾰족한 발톱으로 문을 긁는 소리가 아주 요란했지요. 그러자 방문이 스르르 열렸어요.

"들어와."

라피카가 흐느껴 울며 말했어요. 이불을 톡톡 치며 침대 위로 올라오라는 손짓을 했지요.

라피카는 왜 슬픈지 오비에게 털어놓았어요. 가장 친

한 친구 비올레트가 자기를 배신했거든요. 쉬는 시간 내내 멜라니와 놀고 서로 그림까지 주고받더니 수업이 끝나자마자 둘이서 휭 가 버렸답니다.

"비올레트가 멜라니 집에 갔을까?"

라피카는 오비를 쓰다듬으며 중얼거렸어요.

오비는 인간이 쓰는 단어와 표현에 반응을 잘합니다.

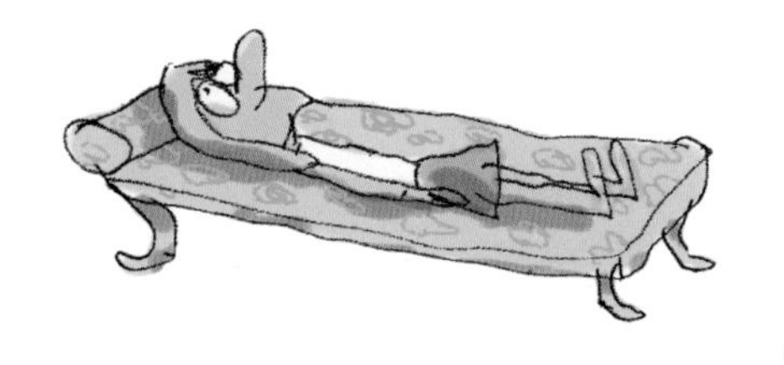

그래서 라피카가 하는 말에 정말로 대답을 하는 것처럼 보여요. '엎드려, 기다려, 산책하자, 먹어, 털 빗을까, 앞발 줘, 앉아, 일어서, 뛰어, 인사해, 못됐구나, 착하지, 사료, 뼈, 멈춰, 이리 와, 가져와, 찾아와, 밖으로' 등등 오비가 이해하는 표현이 정말 많지요.

라피카는 자기가 하는 이야기를 오비가 알아듣지 못할 거라는 걸 잘 알아요. 그래도 자신의 무릎에 앉아 이야기를 듣는 작은 강아지에게 고백하고 싶답니다. 자신을 평가하는 눈빛이 아닌 선한 눈으로 빤히 쳐다보는 오비에게 말을 하는 게 좋으니까요. 오비는 라피카의 말을 비판하거나 혼내지 않아요. 언제나 믿음과 희망의 눈으로 자신을 바라본답니다.

라피카는 오비가 있는 것만으로도 충분히 따뜻한 존재감을 느낍니다. 그래서 라피카는 밖에서 사람들 속에서 이것저것에 신경을 쓰며 지내다가 집에 오면 자신을 믿어 주는 동물과 함께 편안하게 있는 것을 좋아하지요.

"너에겐 뭐든지 다 말할 수 있어!"

라피카가 작은 목소리로 속삭였어요.

오비가 발로 귀를 긁으며 한숨을 포옥 내쉬었지요.

인간은 펄쩍 뛰고, 비둘기는 날아가네

길 한복판에서 갑자기 폭죽이 터지자 지나가던 사람들이 펄쩍 뛰며 놀라고, 비둘기 떼는 푸르르 하늘로 날아올랐어요. 아이들은 소리를 지르고, 쥐들은 잽싸게 하수구로 도망갔지요.

사람이나 원숭이, 개는 모두 뾰족한 못을 밟으면 아파서 펄쩍 뛰게 되어 있어요. 날씨가 너무 더우면 젖소들은 그늘을 찾아 잎이 무성한 나무 아래로 하나둘 모여들어요. 사람들도 큰 파라솔 밑으로 들어가지요. 하지만 아이들은 강물에서 첨벙거리며 노는 걸 좋아해요.

인간과 동물은 비슷한 행동을 해요. 우선, 둘 다 움직일 수 있어요. 필요한 일을 할 수 있고 도망을 갈 수도 있어요. 감각 기관이 있어서 추위와 더위, 배고픔을 느끼지요. 즐거움과 고통도 느끼고요. 살아 있는 생명체이기 때문에 고통을 느끼게 되면 고통에서 벗어나려고 애쓴답니다. 인간과 동물은 서로 닮은 점이 참 많아요.

인간의 족보

인간과 큰 원숭이는 사촌 사이래요. 600만 년 전에는 인간과 큰 원숭이가 먼 친척 관계였답니다. 인간의 조상과 큰 원숭이의 조상을 찾아 거슬러 올라가다 보면, 둘의 조상이 같다는 걸 알 수 있지요.

얼마나 오래전 일인가는 중요하지 않아요. 오늘날 지구에 살고 있는 원숭이와 인간이 아주 먼 옛날에 한 가족이었다는 게 중요하지요. 몇 세대를 거슬러 올라가야 같은 조상을 만날 수 있는지는 잘 몰라요. 어쩌면 30만 세대를 거슬러 올라가야 할 수도 있어요! 까마득한 옛날에 인간과 동물을 태어나게 한 원초적인 생명체가 있었어요. 바로 수십억 년 전에 지구를 가득 채운 단세포들이에요.

인간과 동물은 정말 한 가족이 틀림없나 봅니다.

두더지가 되면 어떤 느낌일까요?

두더지가 되면 어떤 느낌일지 인간은 알 수 있을까요? 트랙터 바퀴가 지나가서 머리 위로 땅이 흔들린다면 어떨까요? 한 번에 새끼 여섯 마리를 낳는다면 느낌이 어떨까요? 땅굴을 파다가 갑자기 철망에 부딪힌다면 어떨까요? 두더지 눈처럼 보이게 도수 높은 안경을 주문해 보세요. 두더지 털처럼 진동에 민감한 긴 실을 만들어 달라고 하세요. 두더지 코처럼 예민한 장비를 만들어 달라고 부탁해 보세요. 그래서 두더지 안경과 코걸이를 끼고 털을 머리에 붙여 보세요. 땅속으로 들어가 지렁이, 곤충, 달팽이를 먹는 거예요. 그럼, 두더지가 어떻게 사는지 알 수 있을 거예요.

두더지처럼 보고, 느끼고, 만지고, 맛보고, 세상의 소리를 듣는 거죠. 두더지의 몸이 되어 느낀 모든 걸 묘사할 수 있을 겁니다. 그러고 나면 '두더지가 되면 어떤 느

낌일까?'란 질문에 대답할 수 있을까요? 틀렸어요. 두더지가 되려고 노력한 인간이 무엇을 느꼈는지에 대해서만 이야기할 수 있겠지요.

인간은 개를 흉내 낼 수 있습니다. 뱀과 오리, 젖소를 흉내 낼 수도 있고요. 하지만 진짜 개와 뱀, 오리, 젖소가 될 수는 없답니다.

내 친구 폴레트가 되면 어떤 느낌일까요? 무사나 스티브, 와심이 되면 어떨까요? 우리는 상상만 할 수 있지 정확히 알 수는 없습니다. 어쨌든 난 폴레트와 무사, 스티브와 와심이 아니니까요. 물론 그들도 나와 같은 사람이긴 하지만 남이잖아요.

그렇다고 완전히 다른 것도 아닙니다. 다른 사람들도 나처럼 감정을 느끼고 어떤 인상을 받고, 생각을 합니다. 우리는 때때로 토끼가 어떤 생각을 하는지, 또 말이 무슨 생각을 하는지 알 것 같은 순간이 있습니다. 하지만 우리가 완벽하게 토끼나 말이 될 수 없기 때문에 우리의 생각이 맞는지는 결코 알 수 없습니다. 동물은 인간인 우리와는 달라요. 달라도 많이 다르지요.

고양이와 햄스터, 게와 닭

로렌조는 고양이를 잡아 바구니에 넣었어요.

"덩치가 꽤 큰걸. 좀 더 오래 삶아야겠어."

로렌조가 물이 펄펄 끓는 큰 솥에 고양이를 넣으며 중얼거렸습니다.

"아야! 아얏!"

로렌조는 다시 한 마리를 잡으려다 비명을 질렀어요. 고양이가 로렌조의 팔목을 할퀴었거든요.

"가게 주인한테 고양이 발을 꽁꽁 묶어 달라고 할 걸 그랬어."

고양이는 부엌 식탁 밑으로 잽싸게 달아났어요. 로렌조는 용기를 내어 두 손으로 고양이의 꼬리를 움켜쥐고 뜨거운 물속에 얼른 집어넣었

어요.

이때 로렌조가 키우는 작은 게가 부엌으로 들어왔어요.

"우리 귀염둥이 왔구나. 벌써 배가 고픈 거니? 지금 몇 시지?"

시계를 본 로렌조는 깜짝 놀랐습니다. 벌써 저녁 6시 반이었어요. 시간이 벌써 이렇게 되다니, 서둘러서 햄스터를 오븐에 넣어야 할 시간이에요. 조금 있으면 수영장에 간 아이들이 돌아올 거예요. 게가 로렌조의 다리에 달라붙어 몸을 비비기 시작했어요.

"그래, 사랑하는 우리 아가, 저녁 다 되었단다. 네가 가장 좋아하는 음식을 준비했지."

소금물이 든 그릇 옆에 무당벌레 찜 요리를 내밀며 로렌조가 말했습니다.

정말 말도 안 되는 이야기라고 생각하겠죠. 로렌조가 제정신이 아니라고 말이에요. 그리고 고양이와 햄스터가 너무 가엾다는 생각이 들 거예요. 게가 집 안을 제멋

대로 돌아다닌다고? '말도 안 돼!' 하고 코웃음을 칠지도 모르죠. 또 멋진 무당벌레 요리는 생각할수록 안타깝겠죠. 그럼, 이 이야기를 이해가 되는 상황으로 다시 바꿔 볼게요.

로렌조는 게를 잡아 바구니에 넣었어요.

"덩치가 꽤 큰걸. 좀 더 오래 삶아야겠어."

로렌조가 물이 펄펄 끓는 큰 솥에 게를 넣으며 중얼거렸습니다.

"아야! 아얏!"

로렌조가 다른 게를 잡으려다 비명을 질렀어요. 게가 로렌조의 팔목을 꽉 물었거든요.

"가게 주인한테 집

게발을 꽁꽁 묶어 달라고 할 걸 그랬어."

게가 부엌 식탁 밑으로 잽싸게 달아났어요. 로렌조는 용기를 내어 두 손으로 게의 등껍질을 움켜잡고 뜨거운 물속에 얼른 집어넣었어요.

이때 로렌조가 키우는 작은 고양이가 부엌으로 들어 왔어요.

"우리 귀염둥이 왔구나, 벌써 배가 고픈 거니? 지금 몇 시지?"

휴대폰을 보던 로렌조는 깜짝 놀랐습니다. 벌써 저녁 6시 반이었어요. 시간이 벌써 이렇게 되다니, 서둘러서 닭을 오븐에 넣어야 할 시간이에요. 조금 있으면 수영장에 간 아이들이 집에 올 거예요. 고양이가 로렌조의 다리에 달라붙어 몸을 비비기 시작했어요.

"그래, 사랑하는 우리 아가, 저녁 다 되었단다. 네가 가장 좋아하는 음식을 준비했지."

우유가 든 그릇 옆에 참치가 담긴 접시를 내밀며 로렌조가 말했습니다.

이제야 좀 낫네요! 로렌조가 뜨거운 물에 게를 집어넣었을 때 마음이 아팠던 사람도 있었을 거예요. 하지만 그런 기억은 금방 잊히지요. 왜 그런지 아세요? 왜 사람들은 고양이를 삶는 것보다 게를 삶는 게 더 낫다고 여길까요? 또 햄스터 구이보다는 구운 닭이 더 낫다고 느끼는 이유는 무엇일까요?

내가 이렇게 말하면…

내가 '고양이'라고 말하면 무엇이 떠오르나요?

루시앙은 아양 떠는 모습이 떠오른대요. 아만딘은 실뭉치가 생각나고, 미레이는 보드랍고 매끈한 털이 생각난대요. 피에로는 고양이의 가르랑대는 콧소리가 들리는 것 같대요.

내가 '게'라고 말하면 무엇이 떠오르나요?

루시앙은 집게발이 생각나고, 아만딘은 무섭다고 말해요. 미레이는 자신의 별자리인 게자리가 생각난대요. 피에로는 옆으로 걷는 게의 모습을 떠올려요.

우리는 모두 고양이와 게를 떠올릴 때 무언가를 생각해요. 그뿐만 아니라 곰과 늑대, 고래와 문어, 독수리에 대해서도 여러 가지 생각을 갖고 있지요. 가까이 다가가 본 적도 없고, 실제로는 한 번도 못 본 동물들이어도 상관없어요. 왜 작은 쥐 같은 햄스터가 의자를 타고 올라가 사람의 몸을 넘어 다녀도 될까요? 판다를 보면 저절로 미소가 지어지는데, 왜 거미를 보면 겁을 먹는 걸까요? 접시에 담긴 토끼나 뱀장어, 메뚜기, 말고기, 굴, 개구리 뒷다리 요리를 보고 불쾌해 하는 사람들이 있는데 왜 그럴까요? 그와 정반대로 맛있게 먹는 사람들은 왜 그럴까요? 그 이유는 인간이 상상을 하는 동물이기 때문이에요. 우리는 수많은 이야기들을 지어낸답니다. 그래서 어떤 동물을 떠올릴 때 생각나는 것들에 결정적인 영향을 미치지요.

오래 사세요, 할아버지!

산부인과에 친척들이 하나둘 찾아왔어요. 삼촌과 고모, 할머니, 할아버지는 세상에 태어난 레아를 보며 흥분을 감추지 못했지요. 모두 기뻐하며 레아가 행복한 삶을 살기를 기도했어요. 사랑을 듬뿍 받으며 행복하고 성공적인 삶을 살기를 바랐답니다.

"레아가 스무 살이 될 때까지 내가 살아 있어야 하는데…."

할아버지가 말했습니다.

"내 손녀가 어떻게 자라는지 꼭 보고 싶구나!"

몇 주 동안 레아는 먹고 자고를 반복했어요. 조금 있으면 점점 깨어 있는 시간이 많아질 거예요. 레아는 웃기도 하고 옹알이도 시작할 겁니다. 또 팔과 다리를 움직이고 혼자서 머리를 가눌 수 있게 될 거예요. 그러다가 바닥에 앉게 되고 네 발로 기어 다니겠죠. 나중에는 두 발로 아장아장 걸어 다니고 말도 할 거고요. 이 모든 과정이 예정대로 일어나겠죠.

하지만 그 후에는 어떻게 될까요? 레아는 어떤 모습이 될까요? 레아는 무엇을 좋아할까요? 특별히 어떤 재능을 가지게 되고 부족한 점은 무엇이 있을까요? 레아는 어떤 꿈을 꿀까요? 그 꿈을 이루는 방법을 알게 될까요? 레아가 어떤 사람이 될지는 아무도 모릅니다. 그래서 친할아버지가 스무 살의 레아를 보고 싶어 했던 겁니다. 가능하다면, 더 나중의 모습도 보고 싶으시겠지요. 갓난아기인 레아가 나중에 어떤 여자로 성장할지는 지금은 아무도 알 수 없답니다.

새의 반복되는 삶

제비 둥지 안에 이제 막 알을 깨고 나온 새끼들이 한데 모여 있어요. 정말 감동적인 순간이에요.

"저기 좀 보세요. 어미 새는 목이 빨간색이에요."

레아의 큰오빠 아드리안이 말했어요.

"그래. 자세히 보렴. 꽁지가 가위처럼 갈라져 있지? 이 참새목 새의 정확한 이름은 제비란다."

할아버지가 설명해 주셨어요.

할아버지한테는 제비에 관한 두꺼운 책이 있어요. 할아버지는 제비라면 모르는 게 없는 제비 박사시랍니다.

"이 제비는 주로 처마 밑에 둥지를 틀지. 도시의 건물 지붕 안쪽에 사는 것도 있고, 시골의 곳간 처마 밑에 사는 것도 있단다."

"둥지는 무엇으로 만드나요?"

"마른 흙과 짚으로 만들지."

"무엇을 먹고 살아요?"

"날아다니며 곤충을 잡아먹지. 이 제비들은 4월부터 9월까지 우리 집 처마에 살 거야. 그 후에는 동남아처럼 따뜻한 곳으로 이동하지."

"그럼 다시 돌아오나요?"

"그렇지. 그래서 제비가 다시 보이면 봄이 온 걸 알 수 있지. 예전에 둥지를 만든 곳을 잘 찾아온단다. 지도도 없고 무선탐지기가 없는데도 말이야."

할아버지는 흐뭇한 얼굴로 아드리안을 돌아보았어요. 손자가 제비 이야기를 재미있게 들어 줘서 기분이 아주 좋았답니다.

할아버지는 어린 레아의 일생을 말해 줄 수 없어요. 레아의 인생을 쓴 책은 존재하지 않으니까요.

하지만 새끼 제비의 일생에 대해서는 이야기할 수 있답니다. 이 제비가 어떤 종에 속하는지, 둥지를 어디에 무엇으로 짓는지, 구체적으로 어느 곳에 둥지를 만드는지도요. 또 제비가 무엇을 먹고 사는지도 알지요. 새끼 제비는 부모의 삶을 반복해서 살기 때문이에요. 부모 제비도 자신의 부모들이 살아온 방식을 그대로 따르죠. 그런 식으로 제비의 삶은 계속 이어진답니다.

빨강머리와 까만 피부

할아버지가 계속해서 말씀하셨지요.

"하지만 아드리안, 이 새끼들의 부모가 몸이 더 작았다면 말이다. 목과 배가 흰색이고 등이 갈색이었다면 아까 얘기한 제비와 전혀 다른 이야기를 들려주었을 거야. 왜냐하면 이런 종류의 제비는 호수나 강가나 연못 근처에서 태어나거든. 그리고 땅에 작은 굴을 파고 산단다."

"새가 굴을 판다고요?"

눈이 휘둥그레진 아드리안이 물었습니다.

"그래, 모래 절벽이나 땅속에 작은 땅굴을 파고 그 속에 풀과 깃털을 엮어 둥지를 만들지."

그때 아드리안의 귀에 놀이터에서 그네를 타는 친구들 소리가 들렸어요.

"아드리안, 이 새끼들의 부모가 흰색 엉덩이에 발이

더 작았다면 말이다."

아드리안은 얼른 할아버지 말을 가로막았어요.

"저기요, 할아버지! 제비는 모두 몇 종이나 있나요?"

"아마 89종은 될 거다. 그건 왜?"

당황한 할아버지가 손자에게 물었습니다.

89종이나 있다고요? 세상에나!

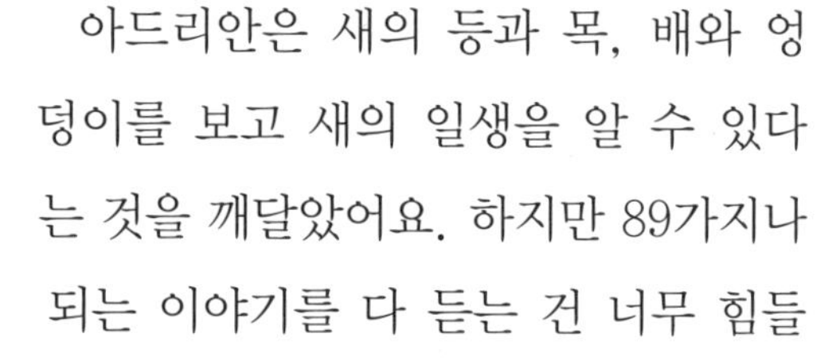

아드리안은 새의 등과 목, 배와 엉덩이를 보고 새의 일생을 알 수 있다는 것을 깨달았어요. 하지만 89가지나 되는 이야기를 다 듣는 건 너무 힘들어요!

"그럼 저는요? 레아는요? 엄마는 머리가 빨간색이고 아빠는 피부가 까맣잖아요. 그럼 우리의 일생은 어떻게 되나요?"

아드리안이 물었습니다.

정말 순진하고 재미있는 질문이 아닐 수 없네요. 레아와 아드리안의 삶은 엄마의 머리색과 아빠의 피부색에 따라 결정되는 게 아니니까요.

친구들과 놀려고 부리나케 뛰어가는 아드리안을 보며 할아버지는 껄껄 웃었답니다.

자유

돌고래나 잉어, 도마뱀이나 비둘기는 할아버지가 말한 제비처럼 각자의 일생이 정해져 있어요. 자연이 미리 결정한 대로 살아가는 거죠. 돌고래나 잉어, 도마뱀, 비둘기로 태어나 정해진 틀에 갇혀 사는 겁니다. 동물은 그 틀을 깨고 나올 수 없어요. 우리는 비버가 댐을 만들 거라는 걸 알아요. 꿀벌은 꿀을 만들고, 악어새는 악어의 이빨을 청소하겠죠. 하마는 흙탕물에 누워서 목욕을 할 테고요. 각자의 본성에 따라 사는 것이니까요.

그럼, 레아는요? 아드리안은 어떨까요? 두 사람의 일생은 어떻게 정해졌을까요? 아무도 몰라요. 두 사람은 인간으로 태어났거든요. 인간에게는 동물에게 없는 고유한 특징이 있어요. 바로 자유랍니다.

하늘을 만지고 싶은 남자

손끝이 꽁꽁 얼 만큼 추워도, 칼날 같은 바람이 얼굴을 때려도, 팔다리가 저리고 아파도, 숨을 쉬기가 힘들어도, 남자는 계속해서 산을 올라요. 추락할 위험이 있

고 산사태와 폭풍이 일어날 수도 있는데 남자는 등산을 멈추지 않아요.

거센 바람이 불고 살을 에는 추위가 계속됩니다. 산소도 부족하고 산사태가 일어날 위험이 있자, 산은 인간에게 말합니다.

"왔던 길로 다시 내려가라. 안전한 곳을 찾아 산 밑으로 내려가라."

다리가 아프고 발에 쥐가 나요. 손이 얼고 피곤이 몰려오자, 몸이 인간에게 이렇게 말합니다.

"그만하자."

남자는 계속 산을 올랐고 드디어 산 정상이 보였어요. 피라미드처럼 솟은 산봉우리가 푸르게 빛나는 하늘을 향해 활짝 열려 있었지요.

"내 꿈을 꼭 이룰 거야. 머리 위에 펼쳐진 저 하늘을 꼭 만지고 말 테야!"

남자는 등산을 떠나던 날, 부인에게 약속했답니다.

남자는 어떤 위기가 찾아와도 등산을 계속하기로 결심했습니다. 하지만 그에게는 선택권이 있었어요. 자연의 말에 귀를 기울일지, 자신의 의지에 따를지는 스스로 자유롭게 선택할 수 있지요. 남자는 자신의 의지가 하는 말을 선택한 것입니다. 그게 그의 자유니까요. 인간이 다른 동물과 분명히 다른 점은 바로 자유를 가진 동물이라는 점이지요.

호수에 사는 달팽이

어린 잔느는 돌멩이를 하나 주워다가 호수에 던졌어요. 퐁당! 잔느는 다시 돌멩이를 주워 던졌지요. 풍덩! 잔느는 계속해서 돌멩이를 호수에 던졌답니다.

"잘한다, 잔느! 점점 더 멀리까지 던지는구나."

아빠가 그런 딸을 칭찬해 주었어요. 잔느는 다시 돌멩이를 주우려고 허리를 굽히다가 달팽이 한 마리를 발견했습니다. 잔느는 달팽이를 손으로 집더니 등 껍데기 속에 있는 몸을 잡아당기려고 했습니다.

"안 돼, 잔느!"

아빠가 소리쳤습니다.

"달팽이를 놔주렴. 그건 돌멩이가 아니야. 그러다가 껍데기가 부서지면 달팽이는 죽게 될 거야."

우리는 누구나 동물이 돌멩이와 달리 소중한 존재라는 것을 압니다. 또 인형의 팔을 뜯거나 자명종 시계를 망가뜨리는 것은 새의 다리를 찢거나 거북이의 등 껍데기를 부수는 것과 다르다는 것을 알지요. 부모님은 자녀들에게 동물을 인형이나 장난감처럼 가지고 놀면 안 된다고 가르칩니다. 동물에게 물리거나 상처를 입지 않기 위해서도 그렇지만, 더 중요한 것은 동물은 살아 있는 생명체이기 때문이죠.

그러나 잔느는 그게 아니라는 것을 깨달았어요. 점심 때 식당에서 아빠가 달팽이 10마리를 맛있게 먹는 모습을 보고 말았거든요. 잔느는 걱정스럽게 주위를 두리번거렸어요. 그런데 아무도 아빠에게 와

서 잘못을 지적하는 사람이 없었답니다.

잔느는 도무지 이해가 가지 않았어요. 아빠는 달팽이를 먹어도 되는데, 왜 자기한테는 달팽이를 던지면 안 된다고 하는지 알 수가 없었지요.

"아빠, 요리사가 호숫가에 있던 달팽이를 잡아 온 것 같지 않아요?"

잔느가 물었어요.

"글쎄다. 그건 왜?"

"그럼 제가 아까 놓아준 달팽이를 아빠가 먹은 거잖아요."

잔느는 아빠의 접시를 들여다보며 말했어요.

죽여야 하나, 말아야 하나?

"안 돼, 그러지 마. 죽이지 마. 창문을 열고 살살 쫓아서 밖으로 내보내. 그럼, 제 갈 길을 갈 거야."

"넌 저 녀석이 나를 찔러 놓고 미안해 할 것 같으니?"

알렉시스가 팔을 박박 문지르며 말했어요.

맞아요. 말벌은 알렉시스에게 침을 쏘았지만 전혀 미안해 하지 않을 거예요. 어쩌면 하품을 하는 사람의 목구멍에 침을 쏘아 놓고도 결코 미안한 생각 따윈 안 할걸요. 그 침에 쏘인 사람은 생명이 위태로울 텐데 말이에요.

인간의 건강을 염려하는 동물은 아마 없을 거예요. 동물은 인간을 위해 목숨을 바치며 충성하지 않아요. 동물이 인간에게 무조건 잘해야 한다는 의무는 없으니까요.

부직, 부직, 부지직

피에르는 산악자전거를 타고 가다가 바퀴에 뭔가가 부서지는 느낌이 들었어요. '부지직' 하는 소리에 피에르는 자전거에서 내려 바닥을 살펴보았어요. 민달팽이 한 마리가 납작하게 깔려 있었답니다.

민달팽이가 죽어서 슬프다고 말하는 사람도 있을 것이고, 괜히 피하려다 옆으로 넘어지지 않아서 다행이라고 말하는 사람도 있을 겁니다. 또 민달팽이의 죽음을 대수롭지 않게 여기는 사람도 있겠지요.

피에르가 주위를 둘러보니 민달팽이가 많았어요. 수십 마리의 민달팽이가 줄을 지어 기어가고 있었지요. 피에르는 다시 자전거에 올라 타 페달을 밟았어요. 그리고 그 위를 신나게 달렸답니다. 부직, 부직, 부지직…

이 이야기는 먼저 읽은 민달팽이 이야기보다는 듣기가 거북할 거예요. 왜냐하면 피에르가 일부러 민달팽이를 짓밟고 지나갔기 때문입니다. 우리가 이 끈적끈적한 작은 동물에 특별히 애정이 있는 것은 아니지만 어쨌든 결코 유쾌한 이야기는 아니지요. 동물에 대한 애정이 있고 없고가 중요한 게 아닙니다. 피에르가 자갈을 그렇게 밟았다면 문제가 되진 않겠지요.

우리가 민달팽이에게 관심이 없다고 해서 함부로 대해

도 된다는 뜻은 아니에요. 왜 그래야 하는지 논리적으로 설명하긴 힘들어도 살아 있는 생명체에게 그런 짓을 해서는 안 된다는 것을 잘 아니까요.

모르고 지나가는 것과 일부러 재미있어서 그 위를 밟고 지나가는 것은 엄연히 달라요. 또 집을 훼손시키는 개미들을 죽이는 것과 장난삼아 개미집을 허무는 것은 다른 일이에요. 모기에게 물리지 않기 위해 모기를 쫓는 것과 재미로 모기를 불태우는 것도 다르지요.

물론 동물에게 피해를 입힌 것이 처벌을 받을 만한 행위는 아니에요. 하지만 동물들이 고통을 느끼지 않을 것이라고 생각해도, 또 멸종 위기에 처한 동물들이 아니어도 동물들을 함부로 대해선 안 됩니다.

두크몰 부부, 정말 싫어요!

두크몰 부부가 차에 시동을 걸었어요. 긴 여름휴가를 떠나는 길이랍니다! 뒷좌석에 탄 강아지 메도르는 더워서 헉헉거렸어요. 아줌마는 더울까 봐 미리 창에 햇빛 가리개를 달았지요. 또 두툼한 두 가방 사이에 차가운 물병도 끼워 두었고요.

100킬로미터 정도 가자, 아저씨가 시골길 한복판에 차를 세웠습니다. 아줌마가 차에서 내리더니 뒷문을 열

었어요. 밖으로 나온 메도르는 신이 나서 이리저리 뛰어 다녔답니다. 그런데 메도르가 차에서 멀어지자 아줌마가 얼른 차 안으로 들어갔어요. 그리고 아저씨가 쏜살같이 차를 몰았습니다.

눈물이 날 것 같아요. 그곳이 어딘지 안다면 메도르를 데려다 키우고 싶은 생각마저 듭니다. 두크몰 부부를 붙잡아 따지고 싶은 심정이에요. 어떻게 그런 짓을 할 수 있는지 꼭 죗값을 받았으면 좋겠어요. 여러분도 잘 알겠지만 이런 일은 실제로 흔하게 일어나는 이야기랍니다. 수천 마리의 애완동물들이 주인에게 버림을 받고 있어요. 마치 쓸모없는 물건을 버리듯이 아무렇지 않게 버린답니다. 인간은 동물에게 가혹할 만큼 잔인한 짓을 해요. 비좁은 우리에 암탉을 가둬 놓고 키우고, 쥐와 생쥐에게는 온갖 실험을 하기도 하죠. 동물이 겪을 고통에 대해서는 생각조차 안 해요. 또 푸아그라라는 요리를 만들려고 살아 있는 거위의 목구멍에 억지로 음식을 집어넣기도 합니다.

동물의 권리

어떤 사람이 잔인한 행동을 할 때, 우리는 그 사람을 비인간적이다, 인간성이 없는 사람이라고 말합니다. 우리가 말하는 인간적인 사람은 감성적이고 선하며 친절한 사람, 또 남을 배려하고 존중하는 사람을 가리키죠. 도덕적으로 옳은 가치관을 가진 사람이 곧 인간적인 사람이지요.

> 두크몰 부부는 크게 한숨을 쉬었어요. 아저씨는 백미러를 쳐다볼 수가 없었어요. 아줌마도 차마 뒤를 돌아보지 못했지요. 메도르가 주인이 탄 차를 따라잡으려고 뛰어올 테니까요.

자신이 기르던 개를 버린

두크몰 부부는 인간으로서 지녀야 할 감성과 도덕적인 가치관을 버린 사람들입니다. 메도르는 주인에게 행복하게 살 권리를 요구한 적이 없어요. 또 고통을 주지 말라고 강요한 적도 없고요. 물론 인간이 동물을 행복하게 해 줄 의무는 없지요.

하지만 우리나라는 동물보호법을 만들어서 동물들이 부당하게 고통당하지 않도록 약속을 해 놓았어요. '주인은 동물에게 적합한 먹이와 물을 공급하고, 운동과 휴식, 수면을 보장하도록 노력해야 한다. 병에 걸리거나 다쳤을 때는 치료를 해 주어야 한다. 잔인하게 죽여서는 안 되며, 법률에 따라 죽이더라도 불필요한 고통이나 공포, 스트레스를 주어서는 안 된다. 키우던 동물을 함부러 버려서는 안 된다. … 이 규정을 위반한 자는 1년 이하의 징역 또는 1천만 원 이하의 벌금에 처한다'라고 씌어 있습니다.

아무도 인간에게 동물보호법을 만들라고 강요하지 않았어요. 하지만 인간에게 생명을 사랑하는 마음이 있기 때문에 이 법을 만든 것입니다.

서로 존중하기

우리는 어떤 동물이 귀엽고 정이 갈 때, 동물이 똑똑하거나 자신을 즐겁게 해 줄 때, 잘해 주고 싶은 마음이 생기지요. 또 어떤 동물이 집을 지키거나 일을 할 때에는 잘 돌봐 주지요. 동물이 고통스러워 하거나 멸종 위기에 처했을 때도 우리는 그 동물에게 잘해 준답니다.

하지만 못생기고 멍청한 동물은요? 특별히 정이 가는 것도 아니고, 똑똑하지도 않고, 쓸모도 없는 동물이라면 어떨까요? 그 동물이 고통스러워 해도 신경 쓰지 않나

요? 그 동물이 멸종 위기에 처해 있어도 신경 쓰지 않을까요?

인간이 동물을 존중해야 하는 이유는 동물이 살아 있는 생명체이기 때문이에요. 동물을 존중하는 인간이야말로 진정한 인류애를 보여 주는 사람이랍니다. 모든 생명을 존중할 줄 아는 사람은 자기 자신도 존중할 줄 알지요.

그럼, 봄이 온 걸 어떻게 알지요?

처마 밑에 제비 똥이 쌓여 집이 지저분해지자 사람들이 제비 집을 모조리 없앴어요. 인간이 밭에 뿌린 농약을 먹은 곤충을 제비들이 잡아먹고 농약에 중독되어 죽는다면… 사람들이 유리나 철로만 집을 지어서 제비가 집을 지을 공간이 완전히 사라진다면… 그럼, 누가 하늘을 날아다니며 봄이 왔다고 지저귀며 노래를 부를까요?

나만의 철학 맛보기 노트

진짜 철학 맛보기

가끔씩 친구들 두세 명 또는 여럿이서 모여 영화를 보거나 놀이를 하지요. 또 발표 숙제를 준비하거나 음악을 듣기도 하고요. 때로는 친구들과 있으면서 특별히 무언가를 하지 않을 때가 있는데, 이럴 땐 모두가 관심 있어 하는 주제에 대해 대화를 나누어 보세요.

대화를 하다 보면 부모님, 선생님, 친구, 사랑, 전쟁, 부끄러움, 불공평 등 다양한 주제로 이야기가 이어져요. 그러면서 우리는 다른 세상을 꿈꾸지요!

그러다가 밤이 되어 혼자가 되면 그 주제에 대해 다시 생각합니다.

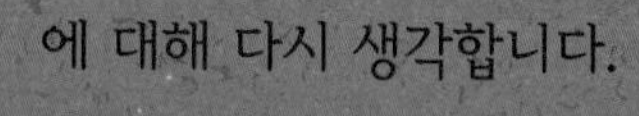

진짜 철학 맛보기

다른 사람들과 세상의 모든 것에 대해 이야기를 나눌 수 있다는 것은 정말 좋은 일이에요. 물론 자기 말만 하고 도무지 남의 이야기를 들으려고 하지 않는 사람들과 있으면 의견 차이를 좁히지 못해 화가 날 때도 있지만요.

하지만 의견이 다르면 좀 어때요! 우리가 함께 정한 주제에 대해 자유롭게 이야기하고 토론하는 것이 더 중요하지 않을까요? 자기 집이나 친구 집, 학교에서도 이야기를 나누면 어떨까요?

진짜 철학 맛보기

진짜 철학 맛보기에 성공하고 싶다면 몇 가지 주의할 것들이 있답니다.

- 대화 참여자 수는 10명 이내로 하는 것이 좋아요.
- 마실 음료와 간식을 미리 준비해 두면 좋고요!
- 바닥에 앉아도 좋고, 각자 편한 자세로 자유롭게 대화를 나누는 겁니다. 둥글게 빙 둘러앉아서 한가운데에 음식을 놓을 수도 있습니다.

진짜 철학 맛보기

- 대화 주제를 미리 정한 것이 아니라면 누군가가 나서서 여러 가지 주제를 제안할 수 있지요.

- 각자 가장 마음에 두고 있는 주제를 내놓습니다. 자신의 선택을 미리 말해서 다른 사람에게 영향을 주지 않도록 주의해야 해요.

- 가장 인기 있는 주제를 투표로 결정합니다. 한 사람당 한 가지 주제만 선택할 수 있어요.

- 가장 많은 표를 받은 주제가 바로 오늘의 대화 주제가 되는 것입니다.

진짜 철학 맛보기

상대의 말에 귀를 기울이고, 서로 싸우지 않으면서 나와 다른 의견을 받아들여야 합니다. 그리고 모두에게 말할 수 있는 공평한 기회를 주어야 해요. 그러려면 어떻게 해야 하는지 다음 내용을 읽어 보고 실천해 봅시다!

자, 이제 시작할까요?
한 시간 정도 대화를 나눠 보세요!
뜻깊은 하루가 될 거예요!

진짜 철학 맛보기

인간과 동물

과일 주스와 과자도 있고 대화의 주제도 벌써 준비되어 있군요! 오늘의 주제는 바로 '인간과 동물'입니다. 만약 대화를 바로 시작하기 어렵다면 다음과 같이 해 봅시다. 서로 멀뚱멀뚱 쳐다보기만 하고 아무도 말을 하지 않을 경우도 있을 테니까요.

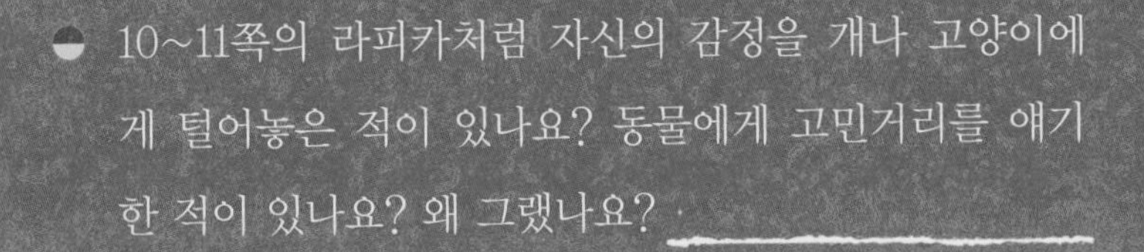

10~11쪽의 라피카처럼 자신의 감정을 개나 고양이에게 털어놓은 적이 있나요? 동물에게 고민거리를 얘기한 적이 있나요? 왜 그랬나요? ______________________

____

____

____

진짜 철학 맛보기

인간과 동물

- 41쪽에서 달팽이를 던지려고 한 잔느를 본다면 여러분도 잔느의 아빠처럼 말할까요? 달팽이를 그냥 놓아주라고 말했을까요?

____

____

- 42쪽에서 잔느의 아빠는 달팽이를 먹고, 46쪽에서는 피에르가 산악자전거를 타고 민달팽이 위를 지나갑니다. 잔느의 아빠와 피에르의 행동이 어떻게 다른가요?

____

____

____

- 49~50쪽에서 애완견 메도르를 버린 두크몰 부부에게 해주고 싶은 말이 있나요? ______________________________

____

____

진짜 철학 맛보기

인간과 동물

친구들과 대화할 때 이 책을 활용해 보세요. 한 친구가 먼저 본문의 일부 또는 일화 한 편을 읽습니다. 그런 다음에 이와 비슷한 경험을 한 사람이 자신의 이야기를 들려줍니다. 그러고 나서 본문의 내용이 무엇을 의미하는지 서로 이야기를 나누세요.

스스로에게 질문을 할 수도 있고 다른 사람에게 질문을 할 수도 있어요. 질문에 대한 대답을 함께 찾아보세요. 확실한 대답을 찾기 어려운 질문도 있습니다. 왜냐하면 질문 속에 또 다른 문제들이 숨어 있거든요.

진짜 학 맛보기

인간과 동물

몇 가지 예들을 생각나는 대로 적어 보면 다음과 같아요. 다음 질문에 전부 대답하려면 아마 몇 시간은 걸릴 거예요!

"왜 과학자들은 동물과 인간에 대한 책을 쓸까요?"

"인간과 동물의 관계를 생각하는 목적은 무엇일까요?"

"우리가 동물을 잡아먹는 것이 거북하나요?"

"동물은 자유로운 생물입니까? 그럼, 인간은요?"

"애완동물을 키우는 사람들이 많은 이유는 무엇일까요?"

"동물은 인간과 똑같은 권리를 누려야 할까요?"

이제 여러분이 대답할 차례예요!
철학 맛보기 시간!
여러분의 생각을 표현해 보세요!

내 각은...

내 각은...

내 이야기는…

철학 맛보기 시리즈

〈철학 맛보기〉 시리즈는 계속해서 출간될 예정입니다.

01 사람이 죽지 않으면 어떻게 될까요? – 삶과 죽음
02 돈은 마술 지팡이 같아요 – 일과 돈
03 시간을 우습게 볼 수 없어요 – 시간과 삶
04 힘센 사람이 이기는 건 이제 끝 – 전쟁과 평화
05 알 수 없는 건 힘들어요 – 신과 종교
06 이건 불공평해요! – 공평과 불공평
07 왜 남자, 여자가 있나요? – 남자와 여자
08 지식은 쓸모가 많아요 – 아는 것과 모르는 것
09 좋은 일? 나쁜 일? – 선과 악
10 거짓말은 왜 나쁠까요? – 진실과 거짓
11 우리는 자연 속에 있어요 – 자연과 환경 오염
12 내가 만약 어른이 된다면 – 아이와 어른
13 나는 누구일까요? – 존재한다는 것
14 대장이 되고 싶어요 – 대장이 된다는 것
15 내가 결정할 거예요 – 자유롭다는 것

★ 어린이도서관연구소 추천도서
★ 서울교육대학교 부설 초등학교 전 학년 권장도서
★ 아침독서운동추진본부 추천도서
★ 책따세 권장도서

16 우리는 왜 아름다움에 끌릴까요? – 아름다움과 추함
17 나를 이기는 게 진짜 성공이에요 – 성공과 실패
18 날마다 용기가 필요해요 – 용기와 겁
19 행복은 항상 눈앞에 있어요 – 행복과 불행
20 폭력으로는 해결할 수 없어요 – 폭력과 비폭력
21 두근거리면 사랑일까요? – 사랑과 우정
22 나는 내가 자랑스러워요 – 자부심과 부끄러움
23 말을 하는 것은 어려워요 – 말과 침묵
24 정신은 어디에 있나요? – 몸과 정신
25 난 찬성하지 않아요 – 찬성과 반대
26 인간은 왜 동물과 다른가요? – 인간과 동물
27 법이 존재하지 않는다면 – 권리와 의무
28 개미는 왜 베짱이를 돕지 않나요? – 부유함과 가난함
29 꿈은 이루어질까요? – 가능과 불가능
30 새끼 고양이가 죽었어요 – 기쁨과 슬픔

〈철학 맛보기〉 시리즈는 우리 주변에서 일어나는 일상의 일들을 생각해보는 '생활 철학'입니다. 어린이의 눈높이에 맞게 생활 속의 이야기를 들려주고 아이들 스스로 논리적 사고를 할 수 있도록 도와줍니다.